Cahier d'activités

Hugues Denisot

Avec la collaboration de
Marianne Capouet et Brigitte Eubelen

Les symboles

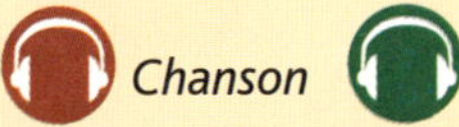 Chanson 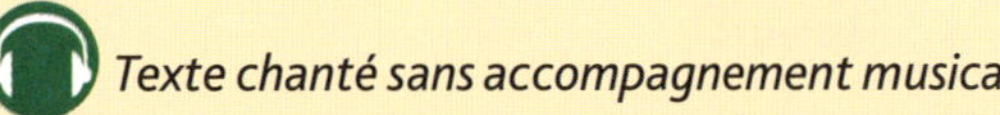 Texte chanté sans accompagnement musical  Karaoké

 *Écoute* — *Parle (chante, réponds, récite, dis, compte, nomme, fais des phrases, raconte)*

 *Colle, reconstitue*  *Relie* — *Entoure*

 *Barre* — *Colorie, dessine*  *Regarde*

À mon petit loustic Lenny et à ses parents Élise et Maxime.

Conception graphique de la couverture : Christophe Roger
Conception graphique de la maquette : Valérie Goussot et Sylvaine Collart
Mise en pages : Valérie Goussot
Illustrations : Estelle Madeddu
Photos : © Hugues Denisot : p. 8 ; © Shutterstock : p. 43
ISBN 978-2-01-625277-2

Achevé d'imprimer en octobre 2022 en Espagne par Macrolibros - Dépôt légal : février 2019 - Collection 02 - Édition 05 - 18/9235/3

Tableau des contenus

Unité 1 : Moi

Leçons 1 et 2

Qui es-tu ? C'est qui ? C'est quoi ?

Chante *Bonjour les amis !.*

Bonjour les amis !
C'est qui ? C'est qui ?
Les amis, bonjour !
Qui es-tu ? Qui es-tu ?
Je suis Léon.
Bonjour Léon !

Bonjour les amis !
C'est qui ? C'est qui ?
Les amis, bonjour !
Qui es-tu ? Qui es-tu ?
Je suis Sophie.
Bonjour Sophie !

Bonjour les amis !
C'est qui ? C'est qui ?
Les amis, bonjour !
Qui es-tu ? Qui es-tu ?
Je suis Pablo.
Bonjour Pablo !

Chante *Je vais à ma place.*

Je vais à ma place, sur la pointe des pieds !
Je vais à ma place, pour bien travailler !
Je suis à ma place ! Je suis à ma place !
Bien assis ! C'est parti !

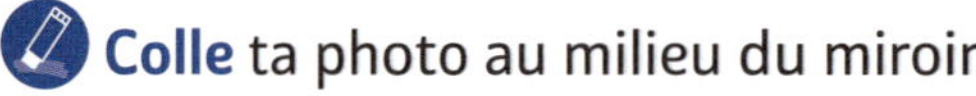

Colle ta photo au milieu du miroir.

Réponds à la question « Qui es-tu ? ».

Unité 1 : Moi

Leçon 3

Comment ça va ?

  **Écoute**. **Récite** *Comment ça va ?*.

Comment ça va ?
Croise les bras !
Ça ne va pas du tout.

Comment ça va ?
Mains sur les genoux !
Comme ci comme ça.

Comment ça va ?
Frappe des mains !
Ça va bien.

  **Relie** Léon à Baluchon suivant son humeur.

 **Dis** comment tu vas. **Colle** l'autocollant qui correspond où tu veux sur la page.

Unité 1 : Moi

1 Écoute l'histoire *Bonjour Gédéon !* avec ton mini-livre.

2 Compte les personnages. Nomme ceux que tu connais.

3 Entoure les personnages de l'histoire.

4 Barre l'intrus.

5 Colle le nom de ton personnage préféré.

Un album, pourquoi pas ?

1, 2, 3 petits chats qui savaient compter jusqu'à 3
Michel van Zeveren, Éditions L'école des loisirs

Résumé :
Une maman chat, qui a trois chatons à la maison, se trompe souvent quand elle prépare la table, le bain ou le lit de ses petits. Mais heureusement, les chatons savent compter jusqu'à trois et ils aident leur maman à rapporter tout ce qui manque.

La lecture d'un album doit être un moment de plaisir pour vous et pour les élèves. Utilisez une comptine rituelle de début et de fin pour obtenir une bonne écoute. Placez, par exemple, le livre dans un sac (le sac à histoires) et dites :

- avant de commencer la lecture : « Et cric et crac ! L'album sort du sac ! ». Puis sortez l'album du sac. « Bien assis pour écouter, l'histoire peut commencer ! »
- une fois l'histoire terminée : « L'histoire est finie, l'album est reparti. » – « Et cric et crac ! Au fond du sac ! »

Commencez par faire observer la couverture, puis lisez l'histoire en mettant le ton, en changeant votre voix selon les personnages et en créant des moments de suspense. Lisez régulièrement la même histoire, notamment à la fin de la semaine. Quand cela est possible, proposez une remise dans l'ordre chronologique de l'histoire et une illustration personnelle et artistique d'un personnage ou d'un moment de l'histoire.

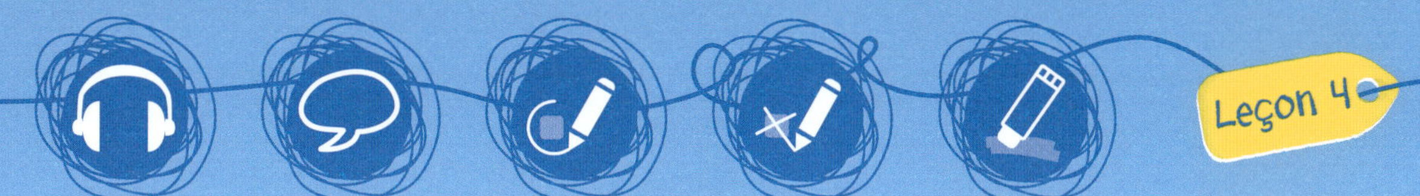

Unité 2 : Mon corps

  **Écoute. Récite** *Ma tête.*

Ma tête (se montrer du doigt, puis faire le tour de sa tête avec son index)
Une tête (faire le tour de sa tête avec son index)
Un nez (tirer sur son nez)
Une bouche pour embrasser (faire un bisou)
Deux oreilles (jouer avec ses oreilles)
Deux yeux (montrer un œil, puis l'autre)
Des cheveux ébouriffés (ébouriffer ses cheveux)
C'est moi ! (se montrer du doigt)

  **Reconstitue** le portrait de Léon.

Découpe son portrait en couleurs à la fin du cahier et colle les différentes parties de sa tête.

  **Nomme** les parties de la tête de Léon.

Leçons
1 et 2

Leçon 3

Tu es content ? Tu es contente ?

1   

Chante *Quand je suis content(e).*

Quand je suis content, je tape des pieds.
Quand je suis content, je tape des pieds.
Quand je suis content
Quand je suis content
Quand je suis content, je tape des pieds.

Quand je suis content, je tape mes jambes.
Quand je suis content, je tape mes jambes.
Quand je suis content
Quand je suis content
Quand je suis content, je tape mes jambes.

Quand je suis content, je tape mon ventre...

Quand je suis content, je tape mes bras...

Quand je suis content, je tape des mains...

Quand je suis content, je claque des doigts...

2  **Colle** la tête de Léon.

3 **Colorie** les pieds de Léon en bleu, ses mains en rouge, ses jambes en jaune.

Unité 2 : Mon corps

Leçon 4

Ce n'est pas grave !

1 (14) **Écoute** l'histoire *Ce n'est pas grave !* avec ton mini-livre.

2 **Compte** les personnages. **Nomme** ceux que tu connais.

3 **Entoure** les trois personnages contents.

4 **Barre** les deux intrus.

Un album, pourquoi pas ?

Va-t'en, Grand Monstre Vert
Ed Emberley, Éditions Kaléidoscope

Résumé :
Pour voir le grand monstre vert, il faut tourner les pages. Un jeu de découpages fait apparaître le visage en commençant par les yeux, puis le nez, puis la grande bouche rouge avec des dents blanches et pointues… jusqu'à obtenir une tête de monstre.

Unité 3 : Les jouets

  **Écoute. Récite** *Mes jouets.*

Smack ! Smack ! Un nounours.
Bip ! Bip ! Un robot.
Bang ! Bang ! Un ballon.
Maman ! Maman ! Une poupée.
Vroum ! Vroum ! Une voiture.
Des cubes. Badaboum ! Badaboum !

  **Relie** le petit jouet au grand jouet.

  **Fais des phrases.**

Exemples : Le petit nounours jaune. – Le grand nounours bleu.

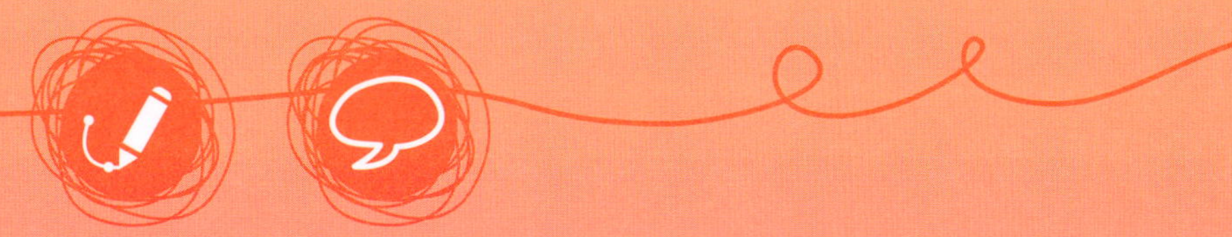

Unité 3 : Les jouets

1    

Chante *On va bien jouer.*

On va bien jouer.
On va bien jouer.
Les amis, les amis.
C'est l'heure de jouer, oui !
C'est l'heure de jouer, oui !
Maintenant, maintenant.

2 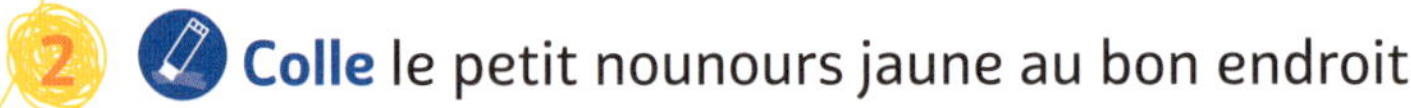 **Colle** le petit nounours jaune au bon endroit.

3 **Colle** la petite voiture rouge au bon endroit.

4 **Colle** les petits cubes bleus au bon endroit.

5 **Chante** *On a bien joué.*

On a bien joué.
On a bien joué.
Les amis, les amis.
C'est l'heure de ranger, oui !
C'est l'heure de ranger, oui !
Maintenant, maintenant.

Unité 3 : Les jouets

Leçon 4

C'est l'heure de jouer !

1 (22) **Écoute** l'histoire *C'est l'heure de jouer !* avec ton mini-livre.

2 Remets les images dans l'ordre en **coloriant** les ronds des dés.

Un album, pourquoi pas ?

Le Mange-doudous
Julien Béziat, Éditions L'école des loisirs

Résumé :
« L'autre jour, une chose terrible est arrivé à mes doudous. Ça s'est passé quand j'étais à l'école. Une sorte de chose molle est entrée dans ma chambre. Et puis... Gloup ! Elle a avalé Lapinot ! »

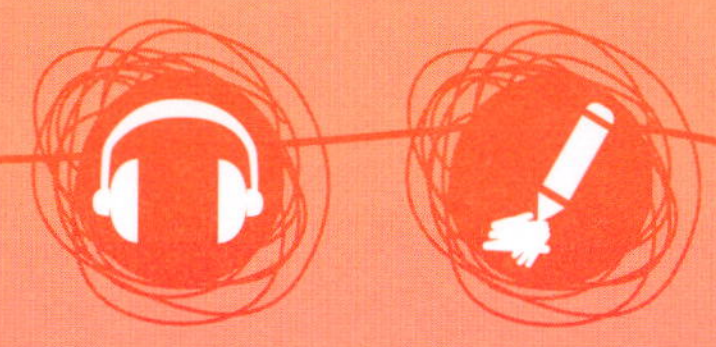

Unité 4 : Les animaux

Leçons 1 et 2

Les animaux De quelle couleur ?

  **Écoute**. **Récite** *Les couleurs des animaux*.

Gloup ! Gloup ! Le poisson est rouge.
Tap ! Tap ! Le lapin est noir.
Miaou ! Miaou ! Le chat est blanc.
Cui-Cui ! L'oiseau est bleu.
Hihihi ! La souris est jaune.
Miam ! Miam ! La tortue est verte.

  **Regarde** les cases. **Colorie** les taches de la bonne couleur. **Fais des phrases**.

Exemple : Lulu est une tortue verte.

 LULU	est	1		
 PABLO	est	1		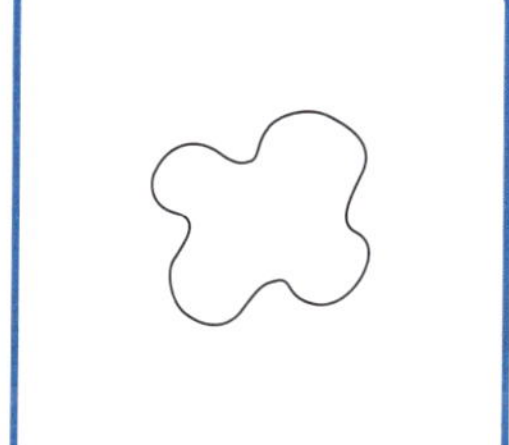
 SOPHIE	est	1		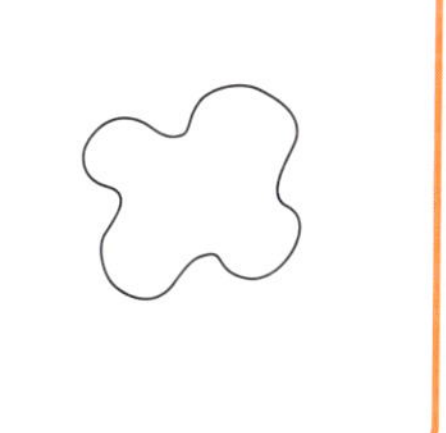
 GÉDÉON	est	1		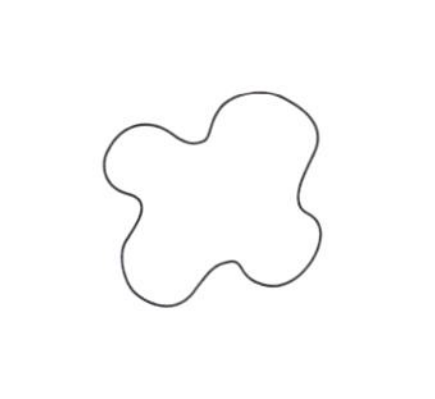

Unité 4 : Les animaux

Leçon 3

Marcher, voler, nager

Chante *Petits animaux ont bien joué.*

Marche, marche, petite souris.
Vole, vole, petit oiseau.
Nage, nage, petit poisson.
Jouez, jouez, les animaux.

Petite souris a bien marché.
Petit oiseau a bien volé.
Petit poisson a bien nagé.
Les animaux ont bien joué.
Dormez !

Miaule, miaule, petit chat blanc.
Tape, tape, petit lapin.
Mange, mange, petite tortue.
Jouez, jouez, les animaux.

Petit chat blanc a bien miaulé.
Petit lapin a bien tapé.
Petite tortue a bien mangé.
Les animaux ont bien joué.
Dormez !

  **Colle** les autocollants au bon endroit.
Dis ce que fait chaque personnage.

Unité 4 : Les animaux

1 Écoute l'histoire *Tu es quoi ?* avec ton mini-livre.

2 Relie chaque personnage à l'animal qu'il mime.

3 Dis qui mime quoi.

Un album, pourquoi pas ?

Aboie, Georges !
Jules Feiffer, Éditions L'école des loisirs

Résumé :
Georges a des problèmes : il n'aboie pas, il pousse des cris d'autres animaux. À chaque fois qu'on le conduit chez le vétérinaire et que Georges fait le bruit d'un animal (un chat, un cochon, etc.), celui-ci sort de l'intérieur du chien.

Unité 5 : Les aliments

  **Écoute**. **Récite** *Bon appétit !*.

Bon a, bon a, bon appétit
Les a, les i, les amis !
C'est l'heure de manger !
Qui a faim ? Qui a faim ?
C'est l'heure de manger !
Qui a faim ? Qui a faim ?
Moi, j'ai faim !

  **Relie** le fruit à sa couleur. **Fais des phrases**.

Exemple : Les myrtilles sont bleues.

Chante *Salade de fruits*.

Moi, j'aime le bleu.
Bleu, c'est beau !
Les myrtilles sont bleues.
Les myrtilles, c'est bon !

Moi, j'aime le jaune.
Jaune, c'est beau !
Les bananes sont jaunes.
Les bananes, c'est bon !

Moi, j'aime le rouge.
Rouge, c'est beau !
Les pommes sont rouges.
Les pommes, c'est bon !

Moi, j'aime le vert.
Vert, c'est beau !
Les poires sont vertes.
Les poires, c'est bon !

Moi, j'aime le violet.
Violet, c'est beau !
Le raisin est violet.
Le raisin, c'est bon !

Moi, j'aime l'orange.
Orange, c'est beau !
Les oranges sont orange.
Les oranges, c'est bon !

Moi, j'aime toutes les couleurs.
Toutes les couleurs, c'est beau !
La salade de fruits est de toutes les couleurs.
La salade de fruits, c'est bon !

Leçons
1 et 2

Leçon 3

La salade de fruits

1   **Colle** les ingrédients de la salade de fruits.

2   **Nomme** l'intrus.

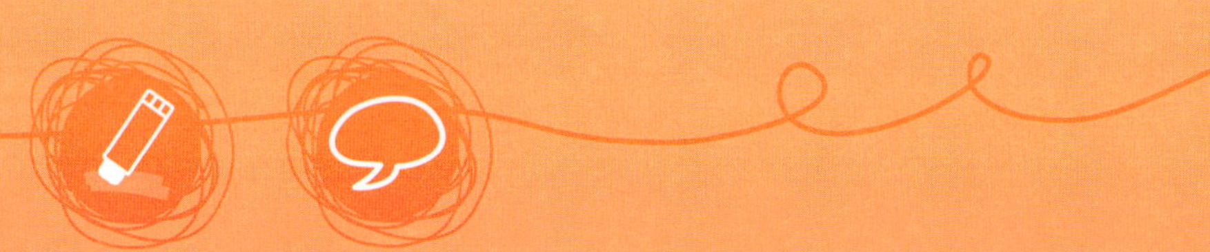

Unité 5 : Les aliments

Leçon 4

Bon appétit !

 Écoute l'histoire *Bon appétit !* avec ton mini-livre.

 Remets les images dans l'ordre en **coloriant** les ronds des dés.

Un album, pourquoi pas ?

Je mangerais bien un enfant
Sylviane Donnio et Dorothée de Monfreid,
Éditions L'école des loisirs

Résumé :
Chaque matin, maman Crocodile apporte à Achille des bananes pour son petit déjeuner. Et chaque matin, elle s'émerveille : « Mon fils, comme tu es grand, comme tu es beau, comme tu as de belles dents ! » Mais un matin, Achille ne mange rien. Ce qu'il veut, c'est manger un enfant. Qu'est-ce qui pourrait bien lui retirer cette idée de la tête ?

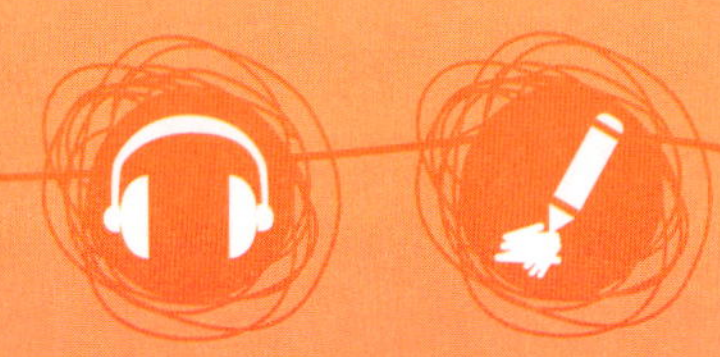

5
2
0
1
3
4
6

5
2
0
1
3
4
6

5
2
0
1
3
4
6

5
2
0
1
3
4
6

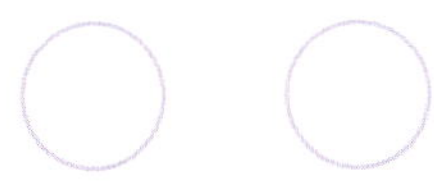

Unité 6 : Les vêtements

1    

Chante *Tout seul comme un grand !*.

Je mets mes vêtements,
Tout seul comme un grand !
Mes jolies chaussettes,
Un pied et puis l'autre.

Je mets mes vêtements,
Tout seul comme un grand !
Mon joli pantalon,
Une jambe et puis l'autre.

Je mets mes vêtements,
Tout seul comme un grand !
Ma jolie chemise,
Un bras et puis l'autre.

Je mets mes vêtements,
Tout seul comme un grand !
Mes jolies chaussures,
Un pied et puis l'autre.

Je mets mes vêtements,
Tout seul comme un grand !
Ma jolie casquette,
Sur ma tête pas une autre.

2   **Habille** Sophie avec des autocollants.
Nomme ses vêtements.

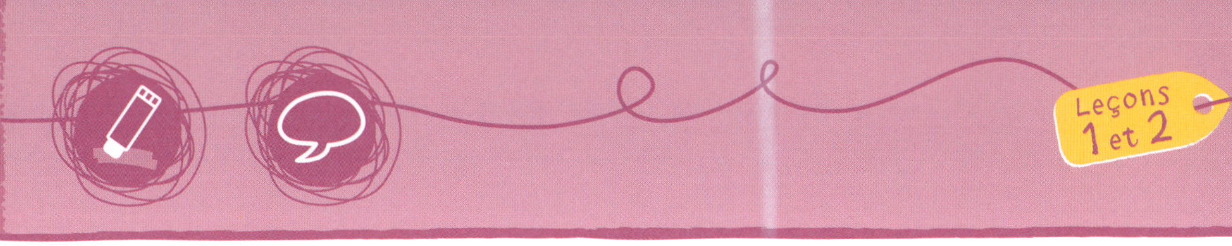
Leçons
1 et 2

Unité 6 : Les vêtements

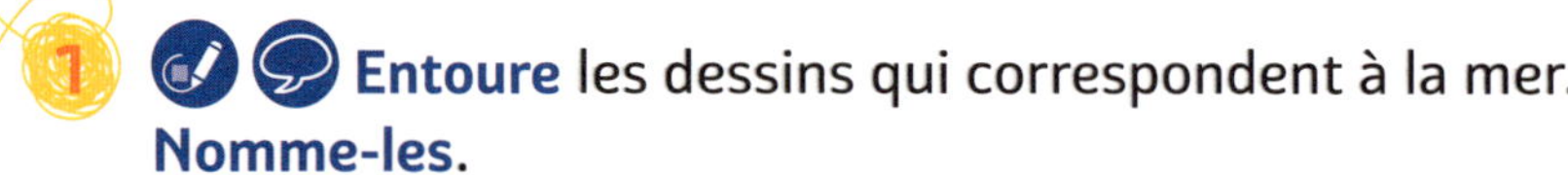

1 **Entoure** les dessins qui correspondent à la mer.
Nomme-les.

2 **Barre** le dessin qui ne correspond pas à la mer.
Nomme-le.

Unité 6 : Les vêtements

Leçon 4

Bonnes vacances !

1 (36) **Écoute** l'histoire *Bonnes vacances !* avec ton mini-livre.

2 **Entoure** le bon chiffre.

Un album, pourquoi pas ?

Drôle de valise !
Claudia Bielinsky, Éditions Casterman

Résumé :
Mais qu'est-ce qu'il y a dans la valise de ces drôles d'animaux ? De drôles de choses, évidemment ! Dans la valise de l'ours Armand, on trouve un très grand caleçon. Dans celle d'Agathe, le mille-pattes, des dizaines de chaussures, bien sûr…

4 5 6

4 5 6

4 5 6

1 2 3

1 2 3

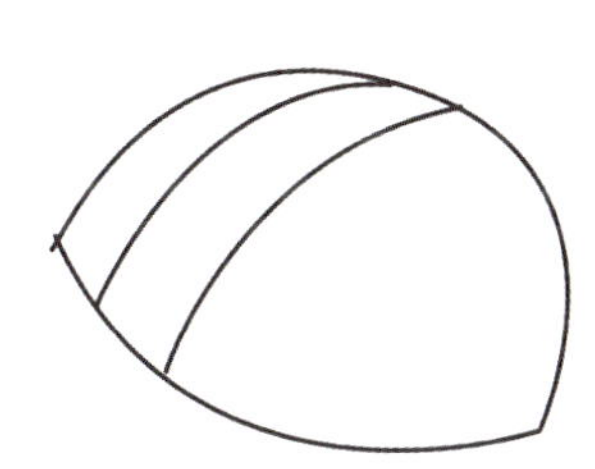

1 2 3

NOËL

1  

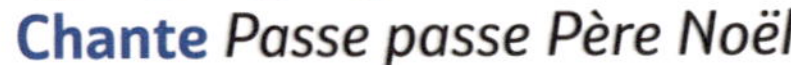
Chante *Passe passe Père Noël.*

Passe passe Père Noël.
Passe passe Père Noël.
Apporte-nous des cadeaux.
Apporte-nous des cadeaux.
Passe passe Père Noël.
Passe passe Père Noël.
Par la cheminée.
Par la cheminée.

Badaboum ! Un cadeau est tombé dans la cheminée !
C'est pour qui ?
C'est pour (+ prénom).
Joyeux Noël (+ prénom) !

2  **Colle** les autocollants au bon endroit.

3  Qu'est-ce qu'il se passe ? **Raconte**.

Un album, pourquoi pas ?

Je m'habille, et je t'apporte un cadeau...
Bénédicte Guettier, Éditions L'école des loisirs

Résumé :
Avant sa tournée de cadeaux, le Père Noël prend tout son temps pour s'habiller...

CARNAVAL

1 **Chante** *C'est Carnaval !*.

C'est Carnaval !
C'est Carnaval !
Plein de confettis !
Youpi les amis !
C'est Carnaval !
C'est Carnaval !
Cherchez-moi les enfants !
Cherchez-moi les parents !
Je suis déguisé en super héros ! / en princesse ! / en pirate ! / en Indien ! /
en Arlequin ! / en fantôme !

2 **Relie** les personnages aux photos.

3 **Dis** en quoi les personnages sont déguisés.

POISSON D'AVRIL

Chante *Filet de pêcheurs.*

Petits poissons nagez !
Petits poissons entrez !
Nagez, nagez dans la mer !

Petits poissons nagez !
Petits poissons entrez !
Nagez, nagez sur le ventre !

Petits poissons nagez !
Petits poissons entrez !
Nagez, nagez sur le dos !

0, 1, 2, 3, 4 ! Filet !
Et maintenant, comptons les poissons !

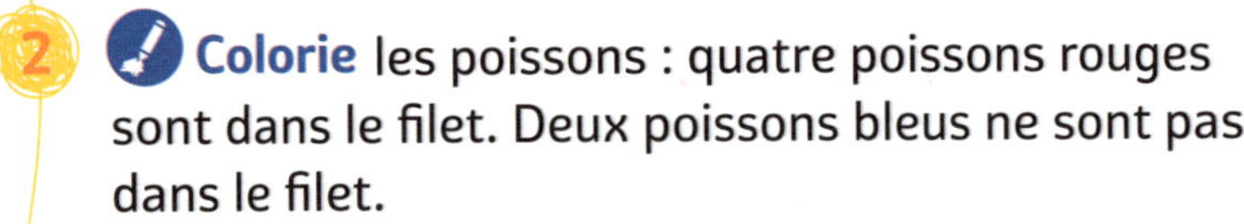

2 **Colorie** les poissons : quatre poissons rouges sont dans le filet. Deux poissons bleus ne sont pas dans le filet.

3 **Compte** les poissons.

Un album, pourquoi pas ?

Drôle de poissons
Lucy Cousins, Éditions Albin Michel Jeunesse

Résumé :
C'est la ronde des poissons ! Voici poisson-flocon, poisson-houppette, poisson-mirliton... Petit poisson a plein d'amis et la mer est sa cour de récréation.

Ma classe de français

  **Colle** ta photo ou **dessine-toi** en classe de français.

Unité 3

Mon jouet préféré

  **Colle** la photo de ton jouet préféré ou **dessine-le**.

Unité 4

Mon animal préféré

Colle la photo de ton animal préféré ou **dessine-le**.

Unité 5 Mon fruit préféré

  **Colle** la photo de ton fruit préféré ou **dessine-le**.

Unité 6 Mes vêtements préférés

Colle une photo de toi avec tes vêtements préférés ou **colle** des photos de tes vêtements préférés.

Les Petits Loustics te souhaitent…

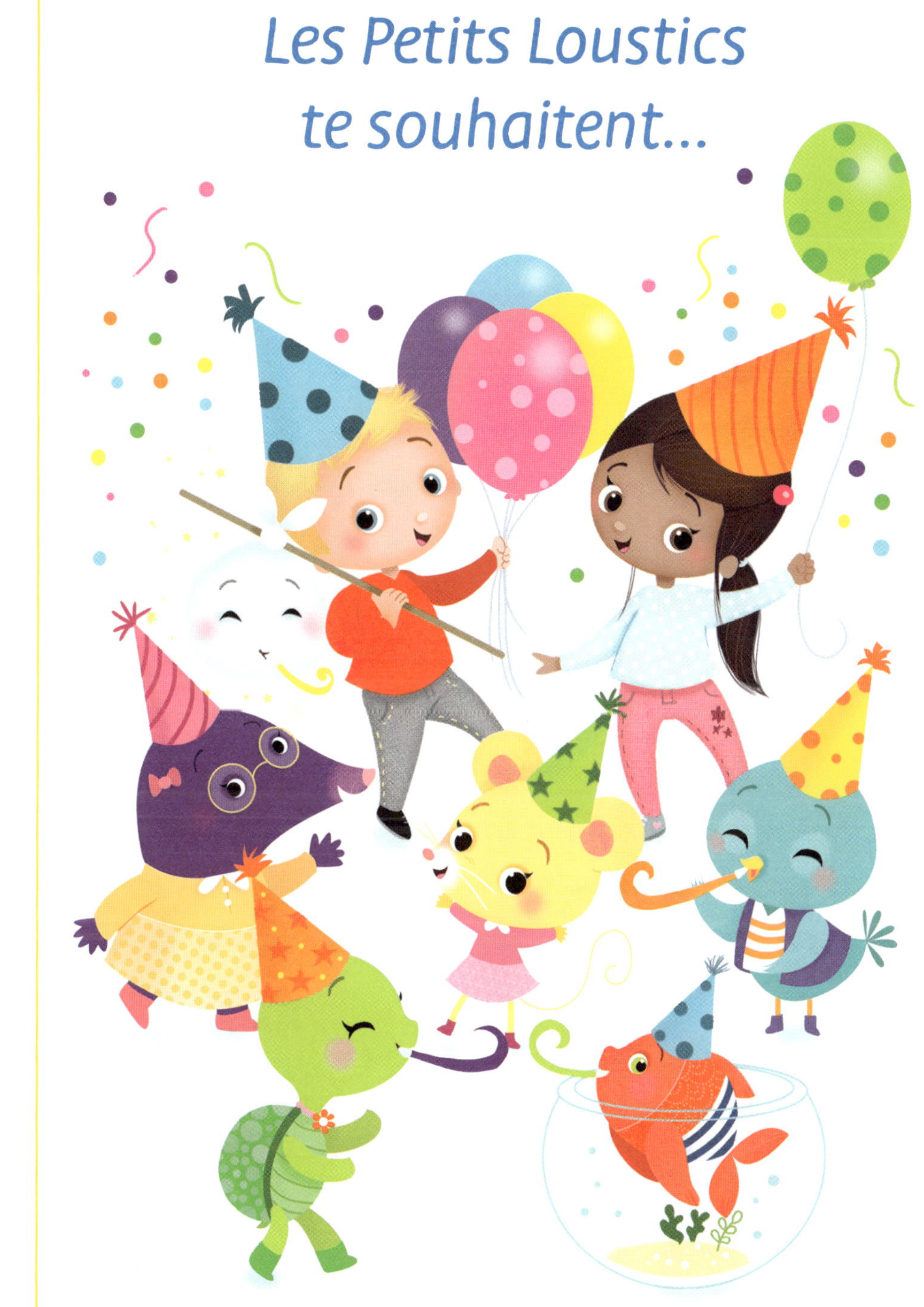

... un joyeux

anniversaire !

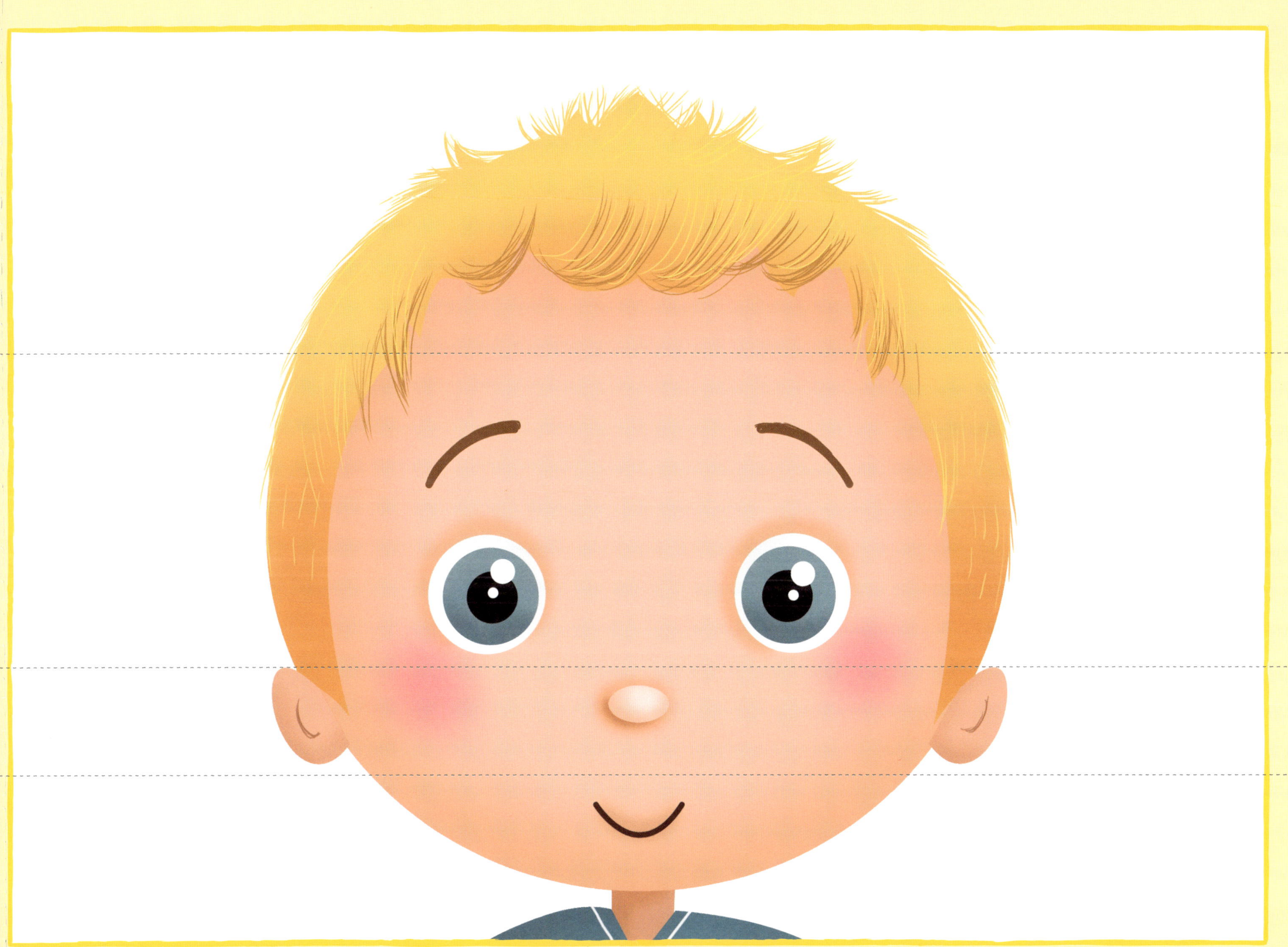

Il était une fois Baluchon et ses amis

Bonjour Gédéon ! 46

Il était une fois
Baluchon et ses amis
Ce n'est
pas grave !
47
4
1

Il était une fois Baluchon et ses amis

C'est l'heure de jouer ! 48

4

1

4

Il était une fois Baluchon et ses amis

Tu es quoi ? 49

1

Il était une fois
Baluchon et ses amis
Bon appétit !
50
5
2
0
1
3
4
6
0
3
4
6

5 2
0 1 3
4 6
5 2
0 1 3
4 6

Il était une fois
Baluchon et ses amis
Bonnes
vacances !
51